郑栗儿/著

林威敏/绘

大师密码 A-Z系列

大师密码C

开启龙宫大宝藏

人民东方出版传媒
People's Oriental Publishing & Media
東方出版社
The Oriental Press

图书在版编目（CIP）数据

大师密码 . C. 开启龙宫大宝藏 / 郑栗儿著 ; 林威敏绘 . —北京 : 东方出版社 , 2015.2
ISBN 978-7-5060-8015-6

Ⅰ.①大… Ⅱ.①郑… ②林… Ⅲ.①儿童故事—作品集—中国—当代 Ⅳ.① I287.5

中国版本图书馆 CIP 数据核字 (2015) 第 030721 号

大师密码 C：开启龙宫大宝藏
（DASHI MIMA C: KAIQI LONGGONG DA BAOZANG）

作　　者：郑栗儿
绘　　者：林威敏
产品经理：张媛媛
责任编辑：张媛媛
出　　版：东方出版社
发　　行：人民东方出版传媒有限公司
地　　址：北京市东城区朝阳门内大街 166 号
邮政编码：100706
印　　刷：小森印刷（北京）有限公司
版　　次：2015 年 4 月第 1 版
印　　次：2016 年 3 月第 2 次印刷
印　　数：4 001—9 000 册
开　　本：720 毫米 ×950 毫米 1/16
印　　张：4.25
字　　数：39 千字
书　　号：ISBN 978-7-5060-8015-6
定　　价：18.00 元
发行电话：（010）64258117 64258115 64258112

目 录

出版前言

每个父母都希望孩子未来能出类拔萃，并在孩子的教育问题上倾尽心力。

许多孩子长大后成熟乐观，在社会上如鱼得水，但不少人成年后并不快乐。他们即使地位显赫、经济条件优越，依然郁郁寡欢。带来快乐的因素有很多，其中起决定作用的则是人格。面对同样的问题，不同的人格往往造就不同的结果。

怎样才能培养健全的人格？我们不妨到传统文化中去寻找答案。几千年来，儒、道、佛相得益彰，共同塑造着国人的精神世界。儒家关切社会的治理，道家关怀生命自然状态的保持，而佛家则关心人生痛苦的解除。故此，历史上就有“儒家治世、道家治身、佛家治心”的说法。

今天很多人习惯于将佛教简单理解为一种宗教，有的人甚至认为它是封建迷信。如果去掉宗教的外衣，它其实是一座充满智慧，兼具心理、品德教育功能的文化宝库。

为此，我们从台湾引进了这套“大师密码”A-Z 系列。这套书以 130 个佛教大师的成长故事，体现了 130 个美好的人格特质。沉着、孝顺、无畏、远见……从这些有趣的故事里，孩子们不但可以学会如何获得成功，更能明白如何倾听内心的声音，获得快乐。

这套书结构编排巧妙，集合了台湾优秀的作家及插画师。书中故事生动活泼，插画精美，在台湾广受好评，曾获得台湾“第 27 次中小学生优良课外读物推介”。相信它同样会得到大陆青少年朋友的喜爱。

推荐序

大师的密码　成功的特质

在我还是青少年时，就很喜欢阅读佛教大师的传记故事。可以说，我的人格就是从阅读大师的史传故事，点点滴滴建立起来的。

不论大人、小孩都喜欢读故事，法鼓文化历时两年的筹备，制作了这套有丰富精美插画的“大师密码”A–Z系列。这套书中，选出130个“大师的美好特质”，一个特质就是一个大师故事，让孩子在趣味的故事中自然吸收大师的养分。

我曾指出佛教的高僧必须具有四大条件：持戒清净、修行精进、慈悲济众与护持佛法；如果转换成现代人的语汇，就是自律、认真、宽大、懂得回馈，而这些正是所有成功人士必备的条件。

很多家长以为孩子学佛会变得消极、不具竞争力；如果从大师的四大条件来看，这样的想法完全错误！孩子接触佛法绝对会更积极、健康，能为他们的一生奠定稳固的基础。

大师们的成就绝非偶然，也没有人一出生就是大师，父母应该提供这样的环境，让人格正在成长形塑中的孩子，吸收历代大师们的生命菁华，转化为他们自己的。我相信这一套“大师密码”A–Z系列，能够成为孩子们成长的助缘！

聖嚴

台湾法鼓山禅修文教体系创办人

开启龙宫大宝藏

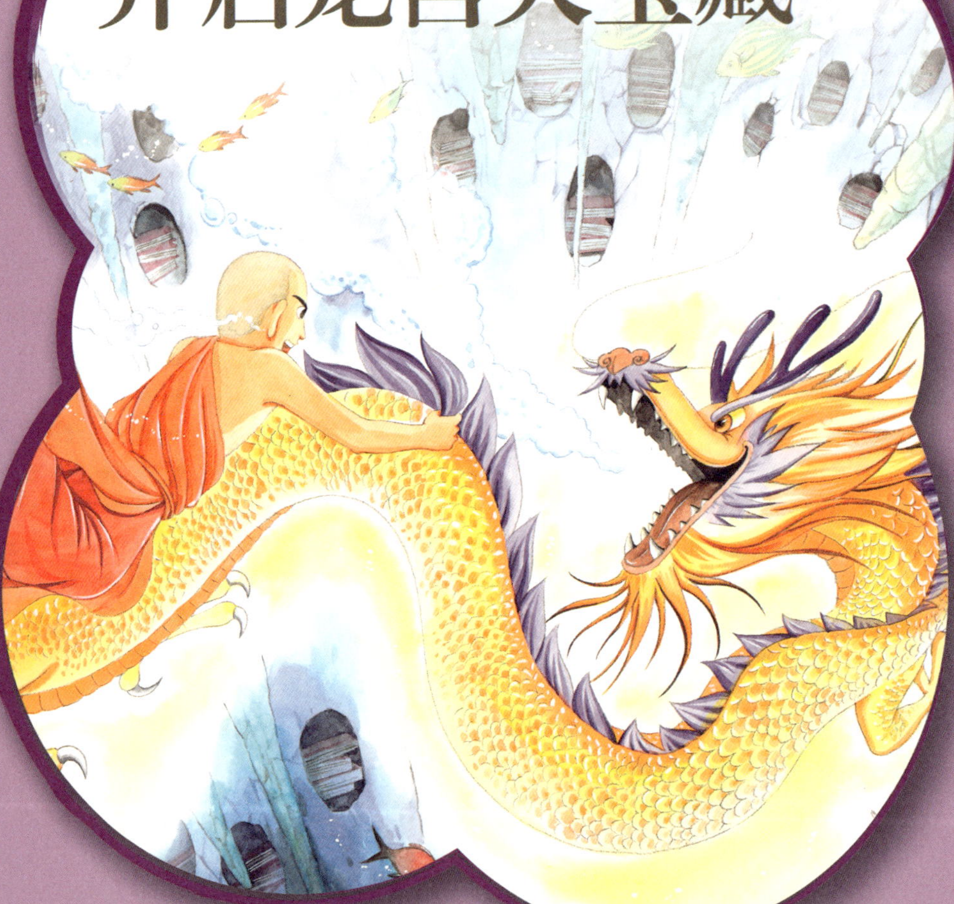

大师密码 Confession 忏悔

龙树是唯一被中国与日本佛教尊为八个宗派共同祖师的人，可见他有多重要。又因为他撰写的佛教论书多到无人能够匹敌，被称为“千部论主”。这样一位著作等身的大师，可不是从小就这样乖乖读书长大的呢！

虽然他生于印度富贵之家，聪明绝顶，却是个叛逆小子，觉得世界上没有他不会的学问。直到有一次，和几个朋友用隐身术到王宫纵情玩乐，惹了杀身之祸，他才发现自己有多么的荒唐！从此洗心革面，决定出家重新做人。

自此，龙树就像是觉醒后的巨龙，写下《中论》《十二门论》《大智度论》等重要历史巨作，成为大乘论师第一人。

小档案 龙树

- 国籍：印度
- 别称：千部论主
- 专长：佛学、水利工程
- 影响：印度大乘佛教中观学派创始人、中国与日本佛教的八宗共祖
- 事迹：忏悔自己贪于玩乐与过度自负，虚心学佛

雨季跨过西卡兹山脉一路前往南印度，许多鸟都像预先知道一般，纷纷飞离了城市，安静地躲在森林某个角落。雨水遮蔽了城里参差不齐的屋舍，整个世界似乎只剩下雨的声音而已。二十岁的龙树和他最要好、资质相当的三位密友，看着窗外的滂沱大雨，一时间觉得真是无聊透顶。

因为他们最喜欢的河边玩水和户外运动，暂时都不能去了，而这年纪所要学习的功课，他们老早就已经学会，程度遥遥领先；尤其是出身印度最高阶层婆罗门家庭的龙树，从小更是聪颖过人，书读过一遍就能记在脑海，举凡天文、地理、星相、占卜还有各家道术，几乎无所不知，全印度的人都知道有这么一位奇才。因此他们几人不自觉流露出了骄傲的优越感。

“龙树，你说世界上可以开启智慧的道理，有什么是我们不会的？还有什么是值得我们去追求的呢？我们虽然这么优秀，却被困在这无聊的大雨中。”其中一位同伴感慨地说。

龙树没有回答，他在想，有什么学问是他不会的呢？

另一位同伴突然提议："我们只知道追求学问，却不知道追求世界上最快乐的事，什么是世界上最快乐的事呢？那就是美色啊！在美色中尽情地放纵情欲，那才是最大的快乐。"

对于这些血气方刚的青年们来说，这个提议打动了每一个人的心，他们想到天下最美的女人都在王宫中担任宫女，可是要怎样才能潜入王宫呢？

这个高难度的挑战让这群资优生很感兴趣，最后他们想到去找一位炼丹的术师，请他传授隐身术。

术师知道这群青年来历不小，个个都是才智顶尖的年轻婆罗门。比起他们所学的才识，这隐身术不过是低贱的法门。如果把隐身的药方一次全给他们，下次他们就不会再来了，不如每次只教一点，可以趁机向他们讨教学问。因此术师给了他们一颗青色药丸，但不说出制造的方法，只叫他们拿回去磨一磨，加水溶解后，再涂在眼皮上，不久身体就会完全看不见了。

他们兴奋地带了药丸回去，龙树闻着药丸的味道，笑着指出药丸有七十多种成分，并把每一种药的分量一一说明清楚。当术士得知龙树如此神奇的能力，大为惊叹，便将隐身术倾囊相授。

这几个年轻人仗着隐身术，大胆游走王宫，与宫女们玩乐。他们以为神不知鬼不觉，但事情还是被发现了，因为有宫女怀孕了！国王大为震怒："是谁神出鬼没地进出王宫，还敢调戏宫女？查到后一律格杀勿论！"

大臣们紧急商讨后，想出一个办法，那就是在王宫每个角落铺上细沙，就可从细沙上留下的脚印，看出究竟是何方神圣来作怪。

一个月黑风高的夜晚，王宫一片异常的沉寂，四个年轻人依然不知天高地厚地隐身进入。地面细沙浮出一个个鲜明的印子，几百个士兵突然一拥而上，挥刀向前，顿时鲜血淋淋。聪明的龙树靠着紧贴在国王身后而躲过了一劫，但却眼睁睁看着三个好朋友死在面前，内心充满着悔恨和痛苦。这时，他才深深领悟到：“原来爱欲是一切痛苦的根源。”当下发愿如果侥幸脱逃的话，一定要出家求道断除爱欲。

趁着混乱的空隙，他幸运地逃出了王宫。

龙树远离闹市，逃到山上一座僻静的佛寺皈依佛门。凭他天生的聪慧，九十天内便把寺内所有的经典都读完了，但他觉得这些经典并不完整。由于当时距离佛陀灭世已经六百多年，佛教经典散佚各处，于是他启程从南印度前往北印度，沿途寻找佛教经典。最后他来到终年雪白的喜马拉雅山顶，在冰冷的山间意外出现一座佛塔，佛塔里有一位老和尚。

老和尚对于他的出现似乎并不惊讶，他拿出珍贵的大乘经典[1]交给龙树阅读。

[1] **大乘经典**：大乘佛教所信奉的经典，主要内容为成佛之道、菩萨道，解说佛性、六波罗蜜等大乘佛教教义，这些教义与小乘佛教义理所侧重的不同。

龙树非常欣喜，他又用九十天的时间把这些经典读完，并能掌握其中的要义。可是他总觉得还是不够圆满，便继续周游印度各地，看能不能找到更多的经典，如果不行，就只好自己来修订佛教的教理，自立宗派，创设僧团❷了。

但找遍了全印度，依然都没有收获。他一路和所遇到的其他宗教人士辩论道理，所有的人都不是他的对手，因为他所读、所学的知识都已达到很高的境界了，而且能完全融会贯通。其他宗教人士都折服不已，称他为世间第一智人。龙树心里不禁生起一丝骄慢心。

那些个年轻荒唐的夜晚，早已随着恒河的流逝远扬而去，想起来就像是一场梦。老鹰依旧盘旋在恒河上空，另一个奇异的夜晚则为龙树悄悄展开。

❷ **僧团**：佛教的出家众团体。

这个夜晚，时间流动得很慢，龙树进入很深的禅定境界。一个巨大的金色身影翩然而至，是一只全身散发光芒的大龙朝龙树舞动而来："我是大龙菩萨，请跟我来！"

龙树问他："去哪里？"

大龙菩萨回答："你不是求法若渴，一直找不到殊胜圆满的经典吗？那就跟我来吧！"

接着便载着龙树，以风一般的速度穿入充满海水、珊瑚与礁岩的龙宫世界，各种颜色缤纷的深海鱼虾水族在此穿梭，好像散步一样，而他仿佛也成为它们的一员，懂得它们的语言与思维。

大龙菩萨先请他为龙宫的子民们宣说佛法，然后带领他到一间深不见底的藏经殿，为他展示龙宫所收藏的无数无量大乘经典。龙树踏入藏经殿内，眼睛为之大大一亮，兴奋地说："太棒了！这里的经典恐怕是印度所有经典的十倍！而且绝大部分都是我没见过的。"

大龙菩萨笑着回答："在忉利天[3]的佛经，还要比这里多出无数万倍呢！"

[3] **忉利天**：又称三十三天，是天神帝释天所居住的天界。

龙树当下惭愧不已，这才明白自己过去多么无知，还以为已经涉猎所有经典，结果竟然不过是皮毛而已。

接下来，他花了九十天读完龙宫所有的经典，并且完全领悟，怀着一颗忏悔心，依着大龙菩萨的指示，重新回到南印度弘扬佛法……

那一晚，他睁开眼睛，从很深很深的禅定回到现实，龙宫的一切是梦吗？他在脑海中翻转着梦中阅读过的经典章页，笑了笑。

往后他依据这些经典，写下了著名的《中论》[4]以及无数著作，被称为“千部论主”；也因为他的关系，确立了往后大乘佛教的主流，更被推崇为“佛陀第二”。

[4]《**中论**》：为龙树主要的般若思想代表作品。

最好的生日礼物

大师密码 Compassion 慈悲

慈悲的莲池大师，不只人缘奇佳，小动物喜欢他，连凶恶的老虎遇到他，也变温柔了！大家只要听到他一念阿弥陀佛，所有的烦恼就烟消雾散啦！

这样一位慈悲的大师，从小便以学问与孝行闻名于乡里，十七岁开始修持佛教净土法门。中年出家后，云游四方，后来在杭州云栖山住下，因此被称为云栖和尚。他一生力主禅净兼修，广为劝人慈悲不杀，不但建放生池，并且还撰写《戒杀放生文》。

很多人因为读了他的《戒杀放生文》感动流泪，也加入了保护动物的行列，他可说是最具影响力的动物保育者！

小档案 莲池

- 国籍：中国
- 别称：云栖和尚
- 专长：念佛
- 影响：中国明末四大师之一，净土宗八祖
- 事迹：最佳的动物保育代言人

那些老虎凶猛极了，完全肆无忌惮的，将整座缥缈幽美的云栖山给占领了。环山四十里范围内，每一年至少吃掉二三十个人。村民非常害怕，怕到不敢组织狩猎队去抓虎，谁知道究竟有多少虎？而且虎患已经历时多年，那些虎只怕快要成精了，只好任凭它们为非作歹。

某个不寻常的日子，杭州出现了一个莲池和尚，他一路云游四方、拜访名师来到了这座人人敬而远之的云栖山。整片恬静葱绿的山林，笼罩着白色的云岚，杳无人迹，像被风吸引一般。他顺着蜿蜒的山间小径走入了深山。

当村民得知有位外来和尚误闯云栖山，都不禁哑然失声：“哎呀！怎么会这样？这和尚肯定没命了！该去救他吗？”

但村民手足无措的慌乱心思，和尚是不知情的。他沿着早已荒芜的旧时足迹，拨开蔓延的野草，一路来到云栖坞，发现一座废弃的佛寺，一看原来是北宋时期伏虎禅师在此建刹并调伏老虎的地方。

他觉得这里的风景实在太美了，前方的悬岩还有飞溅的瀑布，真是好山好水的灵秀之地。他决定在这里搭一座茅舍住下来，每日精勤地修行。

村民还在猜测和尚是死是活时，几日后，看见他安然托着一只钵下山来村里乞食，村民们一边供养和尚一边劝他赶紧离开云栖山，说那里的老虎可不是好惹的。

和尚感恩大家的好心肠，也发出慈悲心，决定为村民平息虎患。

一个手无寸铁的和尚要如何打老虎呢？村民真是为他担心，这和尚肯定会被老虎给吃了。要他离开云栖山，他却说那里是他要终老的地方。村民们虽然纷纷摇头，却又很好奇和尚要怎么打老虎？

莲池是一个慈悲的大和尚，他连蚂蚁都不杀了，怎么可能去杀老虎？他想，这些老虎一定是饿坏了才会吃人，于是，他把托钵乞食的食物拿到森林边缘施予老虎，并且为村民念经做佛事回向❶给老虎。

这样日复一日，奇怪得很，老虎好像知道和尚的诚意，竟然渐渐消失踪影，也不再吃人。

这事过后不久，又来了个大干旱，田里的土地一一龟裂开来。再不下雨的话，整个世界仿佛都快干涸了。村民们无计可施，便全体去请求莲池法师为他们求雨。莲池听了笑着说：“我没有通天的本领可以求雨，我只会念佛❷。”

❶ **回向**：将自己所修的功德，回转给众生。

❷ **念佛**：持念佛的名号。

但他不忍回拒村民们的请求，只好手敲木鱼[3]，沿田埂绕着圈，诚挚地诵念佛号……说来也奇怪，突然吹起一阵狂风，众人抬头仰看天空，朵朵乌云像说好似的一起群聚在天上，豆大的雨滴尾随和尚一粒粒降了下来，迅速滋润了大地。

和尚不但平息了虎患，现在又为大地祈得甘霖，佛法的力量使村民们既钦佩又赞叹，同时也明白莲池可不是一般的和尚，于是纷纷出钱出力为他建造了一座云栖寺。

莲池的慈悲心与念佛功力渐渐远近驰名。神宗万历年间发生了一场流行瘟疫，每天死去上千人，地方太守余公束手无策，头都发疼，他想：“这瘟疫一直找不到控制的办法，除了药物医治外，是不是请莲池大师来帮忙消灾祈福呢？听说他曾经平息虎患，也顺利求得雨水呢！”

[3] **木鱼**：诵经时所用的木制法器，采用鱼身圆形中空的造型，用小木槌敲击发声，可以帮助人安定身心。

于是，余公恭请莲池大师来灵芝寺为百姓主持一场祈福消灾法会[4]。莲池一登上坛座，即虔心地祈求佛菩萨加持护庇，消除一切业障[5]、病障，所有参加法会的人都感受到大师至诚的力量，也一起为病者、亡者祈祷。果然过没多久，瘟疫就停息下来了。

后来，余公又请莲池大师倡导募款，在涨潮的急流处建造桥梁，让人们不再溺毙。大师又发挥他的慈悲心募得了千金，并在建造桥基时，每打一桩就持咒百遍。结果，居然几天都没有涨潮，顺利地建成了新桥。

经过这些奇妙的事迹，莲池大师的声誉更加卓著，四方求法的人闻风而来。莲池大师不但没有一代宗师的傲慢，对人谦虚，而且始终坚持简朴清淡的作风，总是一袭麻布素衣，严守自己所订的三十二条戒规，凡事亲自去做，八十岁了还自己洗衣服、洗厕所，而不麻烦别人。

❹ **法会**：又称法事、佛事。是一种佛教仪式，为说法、供佛、施僧所举行的集会。

❺ **业障**：身、口、意所造作的恶业，会蔽障正道，所以称为业障。

他将戒律的修持作为佛学的第一要务，主张念佛往生西方极乐世界[6]的净土法门[7]，而且一向慈悲为怀的他，更提倡戒杀放生[8]，除了寺前的万工池改为放生池，所写的《戒杀放生文》更是风行全国。

❻ **西方极乐世界**：极乐世界是阿弥陀佛所住的世界。根据佛经记载，极乐世界位在“西方”十万亿佛土以外，所以称为“西方”极乐世界。

❼ **净土法门**：死后可以往生极乐世界的法门。

❽ **放生**：解救被捕猎的鱼、鸟等禽畜，放回适合它们生存的环境。

他守护生命的慈悲心，使得一向笃信佛法的皇太后读后非常感动，还特别向他请法。《戒杀放生文》之外，莲池大师同时又将《瑜伽焰口》《水陆仪规》和《朝暮二时课诵》等法事仪轨作了完善的修订，一直沿用到今天。

莲池大师的八十岁生日转眼要到了，所有的人和动物都开心地欢贺这一天的来临。莲池大师可不要什么寿宴和献礼，但是他的弟子和信徒们，还是努力地思索着，什么才是送给师父最好的生日礼物。

左思右想，终于想到最完美的礼物了！

就在莲池大师八十岁大寿当天，所有的弟子和信徒将寺前的万工池加以拓建，并且在城中央开辟了两个放生池，还在山上设置了动物的救生所，专门抢救那些迷路或受伤的飞禽走兽。

而一般大众为了感念他，也在这一天以放生来为他祝寿。

莲池大师笑了，这真的是他得到的最好的礼物。在救生所充满了无数鱼类、鸟类和爬虫类动物，它们似乎都很有灵性，每当栖云寺的钟声及木鱼声响起时，佛号一遍遍传入天空，传入山里每一个角落，它们都安静地倾听，直到佛号结束，木鱼声停止，才又鼓噪喧哗。

而那些老虎也是一样，藏在山里的某一处，沉浸在莲池大师的悲慈恩泽中，等着每一声佛号响起。

通过大海大考验

大师密码 Consistent 坚持

鉴真大师是日本律宗的始祖，不但创建了日本佛教第一座律宗寺院——奈良唐招提寺，而且还将许多重要的中国文化传入日本，像是医药、建筑、雕塑、美术等等，甚至还被尊为医药的始祖，可见他的影响有多大。

但是鉴真前往日本的过程，可是非常非常不顺利，竟然历经十一二年才如愿抵达，中间经历了暴风雨沉船、遭人诬告官府等种种挫折，甚至连眼睛都瞎了。遇到这么多考验，鉴真大师却打从他答应赴日弘传戒律，好让日本僧人能够好好学习戒律，就从来没有后悔过。如果不是鉴真大师始终如一地信守承诺，我们今天可能就看不到他在日本所留下的重要世界文化遗产了！

小档案 鉴真

- 国籍：中国
- 别称：东征和尚、过海大师
- 专长：律学、医学、建筑
- 影响：被尊为日本文化之父、医药始祖，也是日本律宗开山始祖
- 事迹：即使双目失明，历经多年失败，仍不改赴日传戒决心

“当——当——”崇福寺的钟声不知为何敲得这么响，将初夏的扬州城敲得都震动起来了，连瘦西湖园林的花朵都摇头晃脑觉得好奇。

在市街上，从崇福寺来的一群和尚正像一阵风似的走过去，手中拎着大包小包，好像要去哪里旅行。石板路上卖香的店家老板，送走了刚离开的和尚，笑着跟其他客人神秘地说：“他们是鉴真大和尚的弟子们，专门来这里采买各种香品，准备带去日本传法用的。”

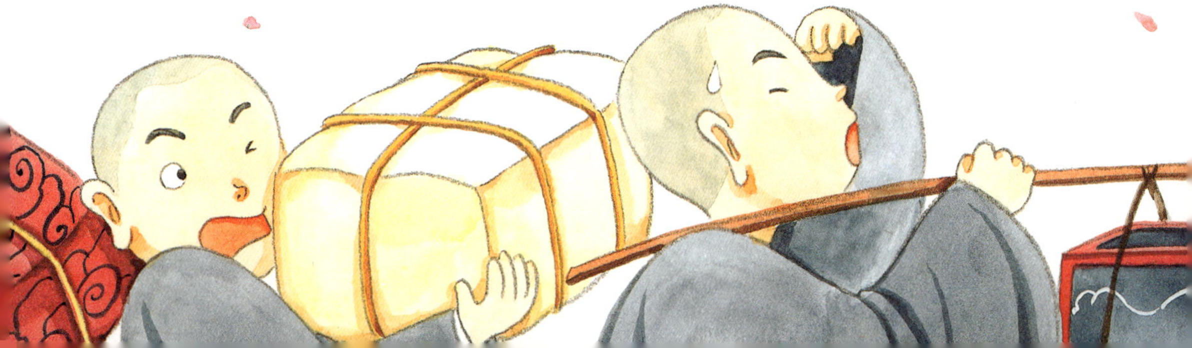

一个刚从北方来的年轻小伙子好奇地问：“鉴真是谁呀？”

他的问题引起一旁的老扬州人一阵侧目：“鉴真是谁你不知道？鉴真可是我们大唐继玄奘以后，鼎鼎有名的大和尚。他不仅是一位德高望重的法师，对戒律特别有研究，还精通医术、建筑、书法、数学等等，反正很厉害啦！”

店家老板也插嘴说：“玄奘到西方取经的历险故事你知道吧！鉴真东渡的传奇一点也不输给玄奘，他老人家在天宝元年，就受到日本僧人的邀请到日本传戒律，只可惜前面四次都失败啦！”

老板伸出五只手指:“这次是第五次了，他居然还不放弃，我真是佩服他始终如一的精神。”

年轻小伙子还是一脸不明白的样子:“第五次？那前面四次是怎么失败的？我听说去日本旅途很艰险，一百个人之中只有一个人能幸运抵达，那汹涌的大海不知吞噬了多少人的性命。”

老扬州人抢着说："是啊！很危险的，说起来鉴真真是了不起，但老天爷也太不帮忙，前面四次东渡不是被不肖弟子诬告，就是被台风把船吹到浙江去了，再不然就是日本的僧人被官兵抓去，说他诱拐大和尚，还有弟子担心他的安危硬把他给拦了下来……这一回结果会如何就不知道了！"

老板跟着叹了一口气："真希望大和尚这次能够成功，他都已经六十几岁了，还有这种传法的精神，真不容易。"

其他两人也在心中默默祈福。瘦西湖园林的花朵们也散播着花粉，表示它们的祝福之意。

其中一粒花粉跟着初夏的风，飘到新河的大船上，这一天是天宝七年的六月二十七日。

鉴真和弟子祥彦以及日僧荣叡、普照等人站在船头上，看着船驶离了码头，沿扬州新河入海而去。先前东渡失败的经历再度涌上大家的心头——这一回荣叡、普照又来邀请，大和尚一见到他们，想起了答应的承诺，赶紧又请人去买船和物资，准备重新踏上前往日本的海上旅程。

这一次能成功吗？所有的人都很好奇，但是鉴真已经不在乎得失了，只求全力以赴完成传法的使命。所有的人都没想到，一趟不幸的旅途，却这么悄悄展开了！

一路上，船走走停停，一下子遇上强大的巨风、翻腾的巨浪，一下又被浓雾蜃气所笼罩。

尽管鉴真大和尚因为梦见三个官人出现，而向丧气的大伙们勉励说：“这应该是日本国的国神来迎接我们，我们应该可以渡得了海。”但是海水黑得像墨汁一样，还是让人辨别不出这究竟是哪里。

他们迷路了！越过满是长蛇的蛇海、飞鱼遮蔽天空的飞鱼海，还有鸟大得像人一样的飞鸟海——那些鸟聚集在船上，把船都快压沉了，接着又是像山一样高的大海啸。

一行人不停念着观世音菩萨[1]圣号，最后终于漂流到热带的海南岛一带，真的好热呀！没有人遇过这么热的天气，简直把人都烤焦了，渴得受不了，没有水，只能嚼着干米当饭吃，而且几经波折，船早已破损不堪。

❶ **观世音菩萨**：以慈悲救济众生为本愿的菩萨。凡遇苦难，只要诵念他的名号，菩萨就会寻声救难。

所有人被困在这里，抱着渴死的打算，没想到荣叡做了一个梦以后，告诉大家："有救了！我梦见一个官人，我跟他说，我快渴死了，那名官人就去拿水来给我喝。"

大家听了很开心，满怀希望把碗拿出来，果然第二天西南方天空聚集起一团好大的云，下了一场好大的雨，解了大家的渴。

就这样，又漂流了半个月，直到十一月，才被广东振州的官兵救起，暂时住在大云寺。眼看船毁了，日本也去不成了，一行人只好沿途讲经说法，慢慢北上想返回扬州再说。

因为不堪长途跋涉，加上不适应这种燥热的天气，体质较弱的荣叡，竟然在端州（广东肇庆市）的龙兴寺生病过世了。大家都非常难过，想起荣叡为了求法，几年来饱受灾难仍不退却的决心，更是让鉴真大和尚哀恸非常。

而失去伙伴的普照，有感于邀请鉴真赴日的希望已经变得十分渺茫，心想：“不如去阿育王寺继续修行吧！”他便和大和尚辞别。

鉴真握着普照的手，语气坚定地说：“为了传戒律，我已经发愿过海了，不到日本，决不放弃！”

但是当时鉴真自己的身体也很不好，经常莫名其妙地发起高烧，普照走了以后，鉴真还是一直烧个不停，而且视力愈来愈模糊。虽然有个胡人来为他治疗高烧和眼疾，可惜治疗失败，鉴真还是失明了！

鉴真不以为意，心想这是老天爷的安排吧！没想到紧接着是爱徒祥彦出事了，原来祥彦也得了热病。某个晚上祥彦问道："师父睡了没？我想跟他告别，我今晚大概就要往生了！"

鉴真赶来为祥彦诵念佛号，在一声声"南无阿弥陀佛❷"中，忍痛送走了祥彦。第五次东渡失败所造成的损失，真是太大了！可是这一切打击，都未击倒双目已经失明的大和尚。

❷ **南无阿弥陀佛**：意指皈依、礼敬阿弥陀佛。阿弥陀佛是西方极乐世界的教主。

时光飞逝，又过了五年，到了天宝十二年十月十五日。

整个扬州城好像一条欢乐街，街上来来往往的人，都纷纷展开微笑迎接贵宾，大家都知道日本国的大使藤原清河、吉备真备和朝衡等人来到扬州了，他们代表日本国专程派四艘大船要来迎接鉴真大和尚赴日传法。

“你们终于来了！前前后后历经十一年，你们总算来了！”失明的六十六岁鉴真对着日本大使点头答应。

他不知道这几个人的长相是什么样子？但是他脑海中浮现的是荣叡白皙的脸和普照粗犷的模样，还有祥彦敦厚的笑容，他们三个人的样子永远烙在大和尚的心中，不管在哪里，他们永远都陪在大和尚身边，一起渡过艰险的大海。

这一回鉴真终于成功抵达日本，将他余生最宝贵的十年奉献给日本。不仅建立了日本律宗❸，将日本佛教发扬光大，还促成中日文化、建筑及医药的交流，赢得日本人的尊敬。他始终如一、坚持赴日传法的故事，也永远留在中国人和日本人的心中。

❸ **律宗**：日本律宗主要传自中国的鉴真。他于唐代到日本弘法，在东大寺创设戒坛，传授戒法。

一〇八只钥匙的掌门人

大师密码 Courageous 无畏

阿底峡从小就是个神童，三岁通晓文学、数学，六岁精解各宗派思想，二十九岁前已向近一百六十位的老师修学过，到了四十四岁他已经是印度佛教地位最高、智慧最高的领导人。这样的一位大智者，原本应在印度继续享有荣耀，为什么会在五十七岁时，放下一切成就，冒死前往遥不可及的西藏，一切重新开始呢？

这是因为西藏的智光法王，为了请他到教法混乱的西藏重新传法，竟然不惜殉身，让阿底峡深受感动，愿意将他最后的生命火花献给西藏，让藏传佛教重见光明！也因为阿底峡到来后，整顿戒律，统整佛学，藏传佛教才能起死回生，所以他被尊为“藏密第一中兴人物”！

小档案 阿底峡

- 名字：月藏
- 国籍：印度
- 别称：燃灯智尊者
- 专长：佛学、文学、医学、工艺
- 影响：藏传佛教噶当派创始人
- 事迹：晚年不畏生死，前往局势纷乱的西藏传法

在“世界屋脊”青藏高原辽阔的西部，名为阿里的地区，拥有全世界最高耸的山群，平均海拔四千五百米以上。冬季有半年以上大雪封山，到了夏季，山顶冰雪融化成无数的溪河，冲坏了对外的交通要道，人们进出相当不容易。

阿里地区境内，有一座古老的古格王朝[1]故城，它不仅是著名的历史遗迹，也是带领藏传佛教穿越黑暗期的阿底峡尊者重新点燃西藏佛法灯火的重要圣地。

公元9世纪，吐蕃（西藏）王朝出现了一位毁灭佛教的藏王朗达玛，他因为政治因素而破坏盛行已久的佛教，除了杀害佛弟子，封闭寺院，还逼迫僧人改信苯教[2]。没多久朗达玛虽然被刺杀，但整个藏传佛教却濒临崩溃状态，进入一百多年的“黑暗时代”。吐蕃王朝也逐渐衰落，形成群雄割据的局面。原有的一支王室贵族逃亡到阿里地区，建立了兴盛七百多年的古格王朝，藏传佛教的种子也在这里再度萌芽。

公元10世纪中期，信佛虔诚的古格国王智光，有感于藏传佛教的没落，教法流失，出家人不重视修行，只热衷密法咒语[3]。

[1] **古格王朝**：10世纪初，吐蕃王室因内乱而逃至阿里，后代在此建立古格。古格王朝共传了二十八代，亡于17世纪中叶。古格保有许多研究西藏历史、古代建筑的重要遗迹。

[2] **苯教**：佛教传入西藏前，流行于藏区的原始宗教，崇拜许多自然物。因教徒头裹黑巾，所以又俗称“黑教”。

[3] **咒语**：又称密咒、真言，是无法用言语说明的特殊密语。透过向佛菩萨祈祷，帮助自己祛除厄难。

智光于是将王位让给弟弟，后来又传给侄子菩提光，以出家人自许，致力于推动藏传佛教的发展。之前他曾派了二十一个青年僧人前往迦湿弥罗（克什米尔）学习佛法，顺便求请知名的佛教大师来西藏建立正法。派去的僧人有十九个患了热病去世，只剩下宝贤和善慧两人回到古格，并打听到印度有一位阿底峡尊者，是真正的佛教第一把交椅。

“阿底峡尊者究竟是什么来历呢？”智光法王非常好奇。

“阿底峡原为孟加拉国一个小国的王子，从小聪颖过人，十一岁起就开始游历山林道场，参拜各大名师学习，到二十一岁已经精通内外教法。二十九岁正式出家，法名‘吉祥燃灯智’，后来又搭船远赴金洲（苏门答腊）求取更高深的佛法。四十四岁回到印度，待在佛教重镇戒香寺，成为全国论师的第一把交椅，每一次讲法时，都吸引成千上万的信徒。戒香寺前右边画着龙树菩萨的人像，左边则画着阿底峡，可见他的德行已足以和龙树菩萨相提并论。依照印度习俗，佛教寺院的钥匙要交给有智慧的大德保管，所以阿底峡尊者一人就佩带了一百零八把佛寺的钥匙。”

听完两位僧人的报告后，智光法王眼露一丝曙光，生起恭敬景仰的心，他立刻派遣一群使者前往印度迎请。但第一次的迎请并没有成功，请法团中许多人又死于热病，只好无功折返。

智光法王并不放弃，为了筹措迎请的经费，他在边境竟被不信佛法的迦罗王给抓了起来，关在牢狱中。对方向他的侄子菩提光要求跟他身体同等分量的黄金，作为赎金，或者放弃去印度迎请尊者，在古格王国建立其他宗教，这样也可以同意放人。

菩提光遍集所有财富，赎金还是差了一个头的分量。他带着这些黄金前去赎人，迦罗王还是不肯放人，智光法王见到菩提光，便对他说：“你爱护我的心，我非常明白，但不要拿金子来换我回去了。挽救西藏的佛法比救我更重要，不如用这些金子去迎请阿底峡尊者到西藏。我已经老了，就当我是为了求法而舍身。”说完，回到牢狱中，不久就过世了。

当请法团第二次抵达印度，向阿底峡尊者说起这一段智光殉法的过程时，阿底峡非常感动。他明明知道如果去西藏自己会减寿二十年，但为了利益藏人，他还是无畏地点头同意了。当时他已经五十七岁高龄，要前往遥远的西藏阿里，不但长途跋涉、道途艰险，并不是件容易的事，而且他手中握有的佛寺钥匙已多达一百零八只，印度人根本不会轻易让这位国宝级人物离开的。

阿底峡尊者排除所有的阻拦，在公元1031年，以到尼泊尔朝圣为理由，离开了戒香寺，一路前往边境。其他宗派人士得知尊者要去西藏传法，非常害怕。因为藏传佛法如果重新兴盛起来的话，对他们的地位是非常不利的，于是他们决定对尊者下手，便派了十八个人暗中来行刺。

天黑后，这十八个自以为法力高强的刺客，趁尊者正在打坐时，偷偷潜入求法团的住处。他们有的拿着绳子，有的拿着利刃，将阿底峡尊者围在中间，准备把他捆绑起来加以杀害。

但奇怪的是，他们一碰到尊者的身体，突然变得像泥土塑像一样僵硬没有知觉，他们的恶心不但起不了作用，还被尊者无畏的慈心给震慑住。

每个人都无法下得了手，求法团的人发现他们的恶行后，便用带来的绳子将他们缚住。第二天，尊者一行人进入跋薄国境内，与一群商人交会时，尊者告知他们："往前走有十八个人，被我们暂时绑起来，现在可以放他们走了。"尊者悲悯的心感化了这群获释的刺客，纷纷返回自己的国家，不再阻碍尊者的西藏之行。

要离开跋薄到下一个国家时，他们在途中又遇上了一位地方首领。首领看见尊者随身携带的旃檀小床，非常喜欢，想要据为己有，便向尊者索取。尊者告诉他："这是我要带去西藏送人的，没办法给你。"

首领听了很不高兴，既然要不到，就抢。他叫一名强盗跟在尊者后面强行劫持。当盗客快马来到尊者身边伸手夺物时，突如其来刮起一阵强劲的风沙，遮住盗客的视线，马“嘶”的一声跃起，把盗客狠狠摔到地上。虽然可以惩罚这名盗客，阿底峡尊者还是放过了他。

种种的危难，都没有使阿底峡尊者赴西藏传法的心退却过，甚至后来担任翻译的译师在路上病死了，他还是怀着救度的慈悲心无畏前行。他跨越雪峰，穿过荒原，花了两年时间终于抵达阿里古格王国。不但重新整顿藏传佛法的教理，建立完整的显密修行次序，同时针对当时藏传佛教的弊端写了一部《菩提道灯论》[4]，以消弭显密之间的纷争，也成为后来黄教创始人宗喀巴书写《菩提道次第广论》[5]的根据，他的教法传沿至后来的黄教，影响非常深远。

[4]《菩提道灯论》：阿底峡的代表作品，介绍佛教修行的次第，影响深远。

[5]《菩提道次第广论》：宗喀巴的代表作品，详细介绍佛教的修行次第。

三年后阿底峡尊者又到西藏各地游历讲法，七十二岁时圆寂。尊者一生的佛学精华全部奉献给西藏，说他是照耀雪国的明灯，真是恰如其分。

探索未知的热情

大师密码 Curious 探索

空海的一生就像大海一样丰富，精通多种学问与才艺，其中最被称道的，就是日文的平假名，是他从中文的草书撷取笔画改成。他不但会造字，还写得一手好书法，真、草、行、隶、篆书都极为杰出，所以被称为“五笔和尚”与“日本三笔”！

但他可不是天生就会这么多的学问，求知若渴的他，因为在当时日本学不到他想学的经典，干脆就直奔中国，取得第一手研究资料。想不到他这一趟西行取经，不只将佛教密宗传往日本，创建日本真言宗，还造出日本文字，将中国的灌溉技术、教育学制、毛笔制法也传回日本，大大促进了中日两国的经济、文化交流！

小档案 空海

- 国籍：日本
- 别称：传灯大法师、五笔和尚
- 专长：密宗修行、书法
- 影响：为日本真言宗始祖，创造出日文平假名
- 事迹：为学习密宗佛典，他专程前往中国研究

人，为什么要读书？读书是为了什么？

大约在一千多年前，一个对生命充满好奇心的日本男孩，就这样问过自己。

这个男孩出生在日本赞岐国多度郡的地方贵族家庭，从小他的父母就叫他“贵物”，可见多么宠爱他。他的父母这么想：“这样一个宝贝长大以后应该是达官显贵，享有锦衣玉食和高人一等的荣耀，人前人后，一呼百诺，多么威风……那应该让他好好读书才是，不如送他去京城奈良吧！让他跟在著名学者舅舅阿刀大足身边读书，他可是当今皇子的讲师。”

“空隆！空隆！”华丽的车舆碾过石板路，穿梭在繁华的市区。一只乌鸦被吓了一跳，“啊”地叫了一声飞走了。顺着乌鸦飞去的方向看，整个奈良城市尽收眼底，所有的建筑都模仿中国唐式风格，可见当时唐朝文化对日本的影响非常深。十四岁的贵物睁大眼睛，看着沿途所经的一幢幢典雅屋宇和穿着漂亮和服的人群，转头向一起坐在马车上的舅舅问道：“舅舅，为什么要学汉文呢？”

阿刀大足拍拍最疼爱的外甥的肩膀——这孩子自幼聪慧异常，很有自己的主见，他不爱和别人玩斗鸡游戏，反而经常自己用泥土捏一个小佛像就拜了起来。

“贵物，汉文是现在上层社会最流行的语言。懂得汉文，不仅可以大量吸收中国文化，也是晋升高位的快捷方式。”

“喔！”随着马车摇晃的贵物一脸纯真地随即又问阿刀大足：“可是舅舅，你觉得当一个上流的日本人，就满意了吗？”

这番话让舅舅一时语塞，想不出如何应对，只好回答：“不管怎样，学汉文对你一定有用的，你要加油喔！”贵物没说什么，只是点头答应。

就这样，贵物每天认真地学习汉文，四年后考进了当时只准贵族就读的日本大学，继续深研《尚书》《春秋》《左传》等儒家经典。他好学不倦的精神很快地使他成为一名突出的资优生。可是当他读通这些书后，心底却有另一种声音出现：“为什么要读书呢？读书应该是让我更明了生命的道理，解开我对人生的疑惑，让我知道我从哪里出生，死后要去哪里，但这些问题在现在所学的书中，根本没有答案。”

而且贵物也不认同他的大学同学们那种骄纵的贵族习性，他对人世间贫富贵贱种种不平等也感到十分好奇：“为什么有人一生富贵，有人却穷苦潦倒？而有权势的人能保证一辈子都拥有显赫的生活吗？我们的人生充满着各种转折变化，那些繁华就像一场梦一样，来得快、去得快，值得一再地追求吗？”

他在夜晚点燃的烛火前想得愈多，愈觉得手中所握的这些书不值得自己再读下去。一只飞蛾见到火光后飞扑过来，被炽烈的烛火给烧伤，坠落下来。贵物手捧着正在垂死挣扎的美丽飞蛾，突然领悟到：“我不能再这样无意义地随波逐流，否则下场就像这只飞蛾一样，盲目地追逐光线，扑火而死。我要去探索生命的真理！”

贵物将书本放下，循着乌鸦飞入街头的方向，走进他以往不熟悉的市井小民世界，另一种书吸引了他的目光，那就是佛经。在一次佛学讲坛上，他意外发现佛经所讲的道理——如何解脱烦恼——深深吸引了他。

他想要了解佛学如何诠释人生，于是开始深入日本佛教的各个宗派，但结果令他失望。原来当时日本的佛教寺院是贵族们祈福求财的胜地，僧侣们往往是为了逃避调役、享有免税的权利才去出家，真正具有佛教理念的出家人反而隐藏在角落里。贵物并不放弃，他要像四处活动的乌鸦一样，在苍茫的民间寻觅适合自己的教派。

这一次乌鸦会带他去哪里？在一间偏僻简陋的小寺院里，一位穿着黄色灰旧僧衣的和尚正在认真念经，他认真念经的样子吸引了贵物，也许这和尚可以指引自己的方向呢！贵物告诉和尚自己的疑惑：他正在寻找生命的答案和修行的方式。

和尚拿起笔，在纸上写了两个字“密教”[1]，露出两道笑纹神秘地说：“佛教里的密教，是一门特别且深奥的修行法门，刚传到日本不久。不过具体的修持方法，很抱歉，我也不太了解，只是跟着念经而已。”

和尚把有限的讯息告诉贵物，虽然如此，却像是凿开了运河第一条缝隙般可贵。接着，和尚又送他第二个珍贵的礼物，正是他所念的密教佛经《金刚顶虚空藏求闻持法》：“这部佛经千辛万苦地从印度传到中国，再从中国来到日本，可说是稀世珍宝。我看你求法甚切，所以破例把它送给你，希望它像藏宝图一样，带领你通往真理的终点。”

[1] **密教**：又称真言宗。为中国十三宗之一，日本八宗之一。

贵物喜出望外，得了这份“藏宝图”，早晚不停地诵读。

为了能更专心地修持，他独自爬到阿波国的大泷山顶，寻得一座安静的洞窟，白天有太阳陪同，夜晚与星月伴随，有时狂风，有时暴雨。一整个春夏秋冬过去了，他读着读着，逐渐与整个宇宙合而为一。

他求法的恳切感动了舅舅和双亲，他们放手让他去寻找自己。二十岁那年，他出家了，法名空海。

为了进一步探索“密教”更高境界，他甚至冒着航海的危险，以遣唐使[2]的名义，远赴中国学习密法。

因缘际会，他拜长安青龙寺密宗大师惠果为师，将最完整的密宗修行方法带回日本，创立了“真言宗”，并成为辅佐天皇的国师。除了为民祈福消灾，他还兴建道场，创办平民学校。他勇于探索生命的真谛，不向世俗荣华富贵低头，终于成就了一番伟大的传法事业。

❷ **遣唐使**：在中国唐朝时，日本为学习中国的先进文化，曾多次派遣使者到中国。